Autres livres de la collection "Les Livres-à-aimer"

© **Editions Exley s.a. 1994-2002**
13, rue de Genval B-1301 Bierges
Tél. : 32-(0)2-654.05.02 • Fax: 32-(0)2-652.18.34
© Helen Exley 1992 - Illustrations: Juliette Clarke
Adaptation: Bernadette et Gérald Thomas.
Imprimé en Chine   Tous droits réservés
ISBN 2-87388-255-7   DL/7003/2002/12
12 11 10 9 8 7 6 5 4

À TOI
que j'aime

Car, vois-tu, chaque jour
je t'aime d'avantage.
Aujourd'hui plus qu'hier
et bien moins que demain.

ROSEMONDE GÉRARD

AQUARELLES DE JULIETTE CLARKE
UN LIVRE-CADEAU HELEN EXLEY

EXLEY
PARIS · LONDRES

Notre amour est comme
une petite pluie fine
qui tombe doucement
mais qui fait déborder
la rivière.

PROVERBE AFRICAIN

...

L'amour réconforte comme
un rayon de soleil
après la pluie.

SHAKESPEARE (1564-1616)

...

Ton amour est
consolation dans la tristesse,
quiétude dans le tumulte,
repos dans la fatigue,
espoir dans la désespérance.

MICHEL GARROT

...

NOTRE BEL AMOUR

Tu m'effleures de la main si doucement,
si rapidement que personne ne pourrait y voir
un geste d'amour, et pourtant cette simple caresse
me soutient dans les épreuves.

MARION GARETTY

...

Les heures passées avec vous, j'y repense comme
à une sorte de jardin parfumé, une pâle aurore
avec une fontaine qui chante....
vous, vous seule me faites sentir que je suis vivant ...
certains ont vu, dit-on, des anges,
mais moi je vous ai vue et cela me suffit .

GEORGES MOORE

...

L'amour est libre, il n'est jamais soumis au sort.
Lou, le mien est plus fort encore que la mort.

APOLLINAIRE "POEME À LOU"

...

Je pourrais vivre heureux
dans une pauvre cabane de montagne,
Filer, tisser et labourer par tous les temps,
Et me laver dans les torrents glacés si seulement
Nous demeurons ensemble.

DODOITZU JAPONAIS

. . .

TOUT POUR TOI

Je dormais, mais je m'éveille :
j'entends mon chéri qui frappe !
"Ouvre-moi, ma soeur, ma compagne,
ma colombe, ma parfaite ;
car ma tête est pleine de rosée ;
mes boucles , des gouttes de la nuit. "
Je suis à mon chéri,
et mon chéri est à moi,
lui qui paît parmi les lys.

CANTIQUE DES CANTIQUES

. . .

Je baise vos mains et m'agenouille devant vous ...
afin de vous assurer que tout mon esprit,
toute la respiration de mon âme,
tout mon coeur n'existent que pour vous aimer.
Je vous adore ...
vous, si beau, si parfait,
conçu pour être aimé, chéri et adoré
jusqu'à mort ou folie.

PRINCESSE CAROLINE
VON SAYNWITTGENSTEIN,
extrait d'une lettre à Liszt, 1847.

. . .

Tu es pour moi la porte du paradis.
Pour toi, je renoncerais à ma renommée,
à mon génie créatif, à tout.

FRÉDÉRIC CHOPIN (1810-1849)

lettre à sa maîtresse, Delphine Potocka.

. . .

HOMMAGE A TOI

Tu es toujours nouvelle.
Le dernier de tes baisers est toujours le plus doux,
ton dernier sourire le plus lumineux,
ton dernier geste le plus gracieux.

JOHN KEATS (1795-1821)
lettre à Fanny Brawne

...

Si de votre beauté je faisais compliment,
Quelqu'un dirait demain: " Ce poète nous ment,
Des yeux si lumineux, des charmes si divins
Jamais ne furent vus sur visages humains."

SHAKESPEARE

...

Je regardais Lucie. - Elle était pale et blonde.
Jamais deux yeux plus doux n'ont du ciel le plus pur
Sondé la profondeur et réfléchit l'azur.
Sa beauté m'enivrait ; je n'aimais qu'elle au monde.

ALFRED DE MUSSET (1810-1857)

...

UN RECONFORT ET UN SOUTIEN

L'amour entre deux personnes
ne peut être que celui
où deux solitudes se rapprochent,
se reconnaissent,
se protègent et se réconfortent
l'une l'autre.

HAN SUYN

...

Bien qu'il pleuve
Je ne serai pas mouillé :
j'utiliserai ton amour
comme parapluie.

COMPTINE JAPONAISE

...

Dans les immenses mystères
du temps et de l'espace,
je sens ton bras sur
mes épaules et je n'ai pas peur.

ODILE DORMEUIL

...

Tu es toujours là pour moi;
c'est cela qui me donne le
courage de rester seule.

MARION GARRETTY

. . .

Le bonheur suprême de la vie
est la conviction d'être aimé pour soi-même,
ou plus exactement,
d'être aimé en dépit de soi-même.

VICTOR HUGO (1802-1885)

. . .

L'amour est simple à comprendre
quand on n'a pas un esprit ramolli
et plein de trous. C'est une béquille,
tout simplement, et aucun de nous ne
peut prétendre ne pas avoir
besoin d'une béquille

NORMAN MAILER
"Rivage de la Barbarie"

. . .

J'ai l'impression de n'avoir eu
que des souvenirs en noir et blanc
avant de te rencontrer.
En entrant dans ma vie,
tu as apporté des rires, des confettis,
du piquant et de la JOIE.

JUDITH GRANT

Les choses drôles
sont drôles,
mais plus drôles
encore si je les partage
avec toi.

SOUVENIRS MAGIQUES

Nous emportons toujours notre potion
magique avec nous, toi et moi.
Te rappelles-tu ce lit qui s'affaissait,
comme un hamac, à Anvers?
Et cette chambre irlandaise imprégnée
par l'angoisse des martyrs ?
Te souviens-tu de tous ces hôtels.... les fenêtres
qui plongeaient sur une maison de passe ? les gamins
de Naples jouant les Fausto Coppi jusqu'à l'aube ?
Les canalisations asthmatiques ?
L'aubergiste grec et son oeil de verre ?
Les petits déjeuners bizarres ?
La porte qui coinçait ?
Les souris, les cafards ?
Te rappelles-tu cette nuit où nous avons tellement ri
que je suis tombée du lit ?
Nos souvenirs, un coffre à trésors magique
que j'ouvre chaque jour.

PAM BROWN

. . .

UN LIEN SANS EGAL

Le Roi Baudouin disait :

" la Reine et moi " ou " ma femme et moi ".

La formule revenait chaque année ou presque.

On en souriait parfois.

Cette façon de parler était pourtant un message,

peut-être le plus important de son règne,

il soulignait la force du lien sans égal

qui met le couple humain au coeur de la création.

PIERRE STÉPHANY,
extrait de "La Libre Belgique" du 31 juillet 1994

. . .

Aimer, c'est prendre le plus grand risque qui soit,

c'est mettre dans les mains de l'autre son avenir

et son bonheur.

C'est accepter sa vulnérabilité.

Et pourtant, je t'aime.

LOUISE-MARIE DU VIVIER

. . .

Te donnerais-tu à d'autres,
qu'aucun ne pourrait t'aimer plus purement
et plus complètement que moi.
Avec aucun autre, ton bonheur ne pourrait être
plus sacré qu'avec moi, comme ce le fut et
comme ce le sera toujours.
Toute mon expérience, tout ce qui vit en moi,
tout ce que j'ai de plus précieux, je te l'offre et
si j'essaye de grandir en noblesse d'âme,
c'est pour devenir toujours plus digne de toi,
pour te rendre plus heureuse encore.

SCHILLER (1759-1805)
lettre à Lotte von Lengefeld

. . .

L'amour a toujours été pour moi
la plus grande des affaires,
ou plutôt la seule.

STENDHAL

. . .

TOUJOURS LA POUR MOI

Je t'aime pour tes plus petites attentions :
des jonquilles sur mon bureau,
une petite tape affectueuse sur la tête,
une tasse de thé pour couper le stress
d'une commande en retard,
d'être le seul à oser me dire que ma jupe verte
me fait ressembler à une courgette.
Et pour les grandes attentions :
tu me donnes le meilleur de ta vie,
partageant mes joies,
me remontant le moral s'il le faut,
je te sais toujours à mes côtés,
même dans les moments difficiles.

HÉLENE THOMSON

...

Etre avec des gens qu'on aime, cela suffit ;
leur parler, ne leur parler point, tout est égal.

LA BRUYERE

...

C'est fou ce que je peux t'aimer

EDITH PIAF

...

Avec mes vieilles mains de ton front rapprochées,
J'écarte tes cheveux et je baise, ce soir,
Pendant ton bref sommeil au bord de l'âtre noir
La ferveur de tes yeux sous tes longs cils cachée.

Oh ! la bonne tendresse en cette fin de jour !
Mes yeux suivent les ans dont l'existence est faite
Et tout à coup ta vie paraît si parfaite
Qu'un émouvant respect attendrit mon amour.

Et, comme au temps où tu m'étais la fiancée,
L'ardeur me vient encore de tomber à genoux
Et de toucher la place où bat ton coeur si doux
Avec des doigts aussi chastes que mes pensées.

EMILE VERHAEREN (1855-1916)

...

Tout ce que j'aime perd la moitié de son sel
si tu n'es pas là pour le partager.

CLAIRE ORTEGA

. . .

C'est bien que moi, je sois moi.
C'est bien que toi, tu sois toi.
C'est encore mieux pour nous,
que nous soyons nous.

LISA ROCHAMBEAU-LAPIERRE

. . .

ENSEMBLE

Pour goûter toute la saveur de la joie,
il faut quelqu'un avec qui la partager.

MARK TWAIN (1835-1910)

…

Je préfère affronter un échec avec toi à mes côtés
qu'un succès avec n'importe qui d'autre.

JENNY DE VRIES

…

Aimer ce n'est pas nous regarder l'un l'autre,
mais regarder ensemble dans la même direction.

ANTOINE DE SAINT-EXUPÉRY
" Terre des Hommes "

…

Me reposer avec toi sous un plafond lumineux
miroitant l'ombre légère de l'eau, quel rêve !
Somnoler dans une pénombre parfumée de fleurs,
quel délice !
Mais, mieux que tout cela,
la pluie qui tambourine,
le vent qui mugit, être bien au chaud,
dans les bras l'un de l'autre.

ANNELOU DUPUIS

Le téléphone sonne. Est-ce toi qui appelles ?
Deux jours déjà que tu es à Ramatuelle, avec les enfants…
cette sonnerie me pince le coeur…
je ne savais pas que tu étais si intime à moi-même…
Allo ! Je t'aime !

GÉRARD VERNES

…

S'il te plaît, conseille-moi un remède
pour m'arrêter de trembler
comme une feuille morte
quand je reçois et lis tes lettres...
Tu m'as donné un cadeau
dont je n'aurais jamais osé rêver,
de toute ma vie.

FRANZ KAFKA (1883-1924)

TU ME MANQUES
Le tas de couvertures sur notre lit, le polo
de tennis qui pend à la porte, tes outils
dans la cuisine, l'odeur de ta mousse à raser...
petites choses de toi qui restent à la maison et
qui te rendent proche, quand tu es loin.

LISA ROCHAMBEAU-LAPIERRE

...

Même lorsque je dors seul la nuit,
je mets les oreillers côte à côte.
L'un est mon amour,
L'étreignant de près, je dors.

CHANT FOLKLORIQUE JAPONAIS

...

TU ES TOUT POUR MOI

Tes paroles dissipent tous les problèmes
du monde et me rendent heureuse...
Elles me sont aussi nécessaires
que la lumière du soleil et l'air...
tes paroles sont ma nourriture,
ton souffle mon breuvage.
Tu es tout pour moi.

SARAH BERNHARDT (1844-1923)

...

Le plus grand bonheur,
après que d'aimer,
c'est de confesser son amour.

ANDRÉ GIDE

...

Que béni soit le jour, et le mois, et l'année.
Et la saison, et le temps, et l'heure, et l'instant,
Et le beau pays, et le lieu où je fus atteint
Des deux beaux yeux qui m'ont enchaîné.

PÉTRARQUE

...

C'est un petit mot, mais il les contient tous :
il veut dire le corps, l'âme, la vie, l'être entier.
Nous le sentons comme la chaleur
de notre sang, nous le respirons comme
nous respirons l'air,
nous le portons en nous comme
nous portons nos pensées.
Rien d'autre n'existe pour nous.
Ce n'est pas un mot,
c'est un état indescriptible
qui s'écrit en cinq lettres.

GUY DE MAUPASSANT (1850-1893)

. . .

... Si nous ne devions plus
nous rencontrer de toute notre vie,
je penserais quand même
que l'aventure de mon existence est
justifiée par le fait de t'avoir connue.

LEWIS MUMFORD,
extrait d'une lettre à sa femme.

. . .

CE QUE TU ME DONNES

Tu m'as fait des cadeaux pleins
d'attentions, des amandes au sucre,
un disque de Vivaldi, des anémones,
bouturées par toi, pour ma table
de chevet, ou encore une promenade
surprise dans un bois au moment
des jacinthes. Mais ce que je préfère,
c'est te surprendre en plein travail ou
quand tu me repères dans une foule
et que tes yeux s'illuminent de plaisir.
Pour moi, le meilleur,
c'est de savoir combien tu m'aimes.

HELEN EXLEY

...

Il n'y a qu'un seul bonheur dans la vie,
aimer et être aimé.

GEORGE SAND

...

Depuis l'origine du temps
et jusqu'à aujourd'hui
Il est deux choses sur lesquelles
on ne peut agir :
Le cours de l'eau
Et l'étrange et doux chemin de l'Amour.

DODOITZU JAPONAIS

...

L'amour, de toute évidence,
ne connaît pas de saisons, pas de climats,
pas d'heures, de jours, de mois,
qui sont les piètres attributs du temps.

JOHN DONNE (17EME SIECLE)
"Le lever du soleil"

...

Jusqu'à tes cent ans,
Jusqu'à mes quatre-vingt-dix-neuf ans
Ensemble
Jusqu'à nos cheveux blancs.

CHANSON JAPONAISE

...

A JAMAIS

Doute que les étoiles soient de feu,
Doute que le soleil avance,
Doute qu'un menteur te dise la vérité,
Mais ne doute pas que je t'aime.

SHAKESPEARE (1564-1616)

. . .

Est gaspillé tout le temps
qui n'est pas dévolu à l'amour.

LE TASSE (16EME SIECLE)

. . .

Le plaisir des sens passe et disparaît en un clin d'oeil,
mais l'amitié entre nous, la confiance réciproque,
les plaisirs du coeur et les enchantements de l'âme,
ces choses là ne périssent jamais et ne pourront jamais
être détruites.
Je t'aimerai jusqu'à ma mort.

VOLTAIRE
lettre à Madame Denis.

. . .